Ma Vie avec un

SCIENTIFIQUE

LA FERTILITÉ

Édition : Pascale Mongeon
Illustrations et design graphique : Estelle Bachelard
Correction : Joëlle Bouchard

Catalogage avant publication de Bibliothèque et Archives
nationales du Québec et Bibliothèque et Archives Canada

Desjardins, India, auteur

   Ma vie avec un scientifique : la fertilité / India Desjardins ;
illustrations, Bach.

   ISBN 978-2-7619-4894-4

   1. Fécondation - Bandes dessinées. 2. Santé de la
reproduction - Bandes dessinées. 3. Fécondité humaine -
Bandes dessinées. 4. Bandes dessinées.
   I. Bach, illustrateur. II. Titre.

RG133.D47 2018   618.1'78   C2018-940256-3

DISTRIBUTEURS EXCLUSIFS :

Pour le Canada et les États-Unis :
MESSAGERIES ADP inc.*
Téléphone : 450-640-1237
Internet : www.messageries-adp.com
* filiale du Groupe Sogides inc.,
   filiale de Québecor inc.

Pour la France et les autres pays :
INTERFORUM editis
Téléphone : 33 (0) 1 49 59 11 56/91
Service commandes France Métropolitaine
Téléphone : 33 (0) 2 38 32 71 00
Internet : www.interforum.fr
Service commandes Export – DOM-TOM
Internet : www.interforum.fr
Courriel : cdes-export@interforum.fr

Pour la Suisse :
INTERFORUM editis SUISSE
Téléphone : 41 (0) 26 460 80 60
Internet : www.interforumsuisse.ch
Courriel : office@interforumsuisse.ch
Distributeur : OLF S.A.
Commandes :
Téléphone : 41 (0) 26 467 53 33
Internet : www.olf.ch
Courriel : information@olf.ch

Pour la Belgique et le Luxembourg :
INTERFORUM BENELUX S.A.
Téléphone : 32 (0) 10 42 03 20
Internet : www.interforum.be
Courriel : info@interforum.be

03-18

Imprimé au Canada

Dépôt légal : 2018
Bibliothèque et Archives nationales du Québec

ISBN 978-2-7619-4894-4

Gouvernement du Québec – Programme de crédit d'impôt pour
l'édition de livres – Gestion SODEC –
www.sodec.gouv.qc.ca

L'Éditeur bénéficie du soutien de la Société de développement
des entreprises culturelles du Québec pour son programme
d'édition.

Conseil des Arts   Canada Council
du Canada   for the Arts

Nous remercions le Conseil des Arts du Canada de l'aide accordée
à notre programme de publication.

Financé par le gouvernement du Canada
Funded by the Government of Canada | Canadä

Nous reconnaissons l'aide financière du gouvernement du Canada par l'entremise du Fonds du livre du Canada pour nos activités
d'édition.

India Desjardins & Bach

Ma vie avec un SCIENTIFIQUE

LA FERTILITÉ

LES ÉDITIONS DE L'HOMME

Une société de Québecor Média

À toutes les personnes qui sont
passées par là...

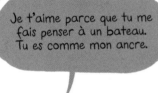

Je t'aime parce que tu me fais penser à un bateau. Tu es comme mon ancre.

Ou comme un grand mât et je peux virevolter autour!

Je ne comprends pas trop.

C'est juste une métaphore romantique!

Oh!

Ben moi, je t'aime parce que tu es unique et spéciale. Tu me fais penser à une fractale.

Gougle

Qu'est-ce qu'une fractale?

Chéri!

La nuit passée, j'ai rêvé qu'on avait un enfant et qu'il était frisé.

Y'était cuuuute!

Ce serait cute mais peu probable. Friser, ça vient d'un gène dominant et on a les cheveux droits.

Au fer, ça compte pas.

Donc peu de probabilité d'avoir un enfant frisé.

Je te racontais juste un rêve! Dans un rêve, il peut y avoir des voitures volantes, alors c'est pas de la grosse science-fiction d'avoir un enfant frisé!

Pas obligé de corriger les faits scientifiques dans mes rêves!

Jackpot

15

... et donc Mercure rétrograde et dans ce temps-là, c'est la panique. Rien de bon ne peut arriver dans cette période. On est mieux de ne pas prendre de grosses décisions, ni signer de contrat, etc.

Ah, bon. Ça explique tout!

Ça explique surtout un manque de culture en astronomie. Le ciel qu'on voit présentement n'est pas le ciel astronomique présent. Alors comment Mercure pourrait avoir un effet sur des gens en ce moment?

Ben OK d'abord, on est juste infertiles pis on n'aura jamais d'enfant!

?!

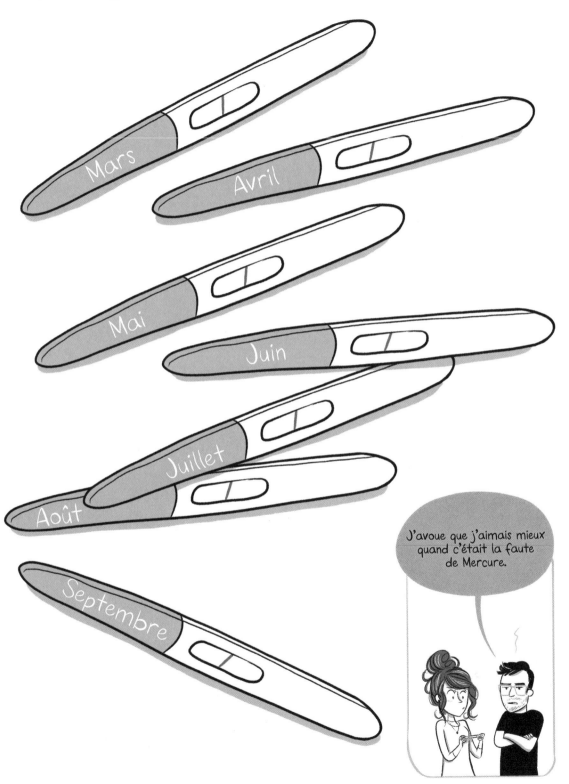

Oh! Trop cute!

Bébé 0-24m

Quand est-ce que je vais être grand-mère?

Ma mère m'énerve! Elle n'arrête pas de dire que ça a marché tout de suite pour elle, pour ses sœurs, pour ses ancêtres, etc.!

Allô la pression? Je n'arrête pas de me demander pourquoi ça ne marche pas pour moi. Pourquoi elle me dit ça aussi?

Mais non! C'est gentil, ce qu'elle dit!

Gentil?

Oui, ce qu'elle dit au fond, c'est que génétiquement, tout fonctionne bien dans ta famille et qu'il n'y a aucune raison pour que ça ne fonctionne pas pour toi.

C'est très encourageant! Elle n'a juste pas le vocabulaire pour dire ça.

Faut pas que j'y pense.
Faut que je pense à
quelque chose de sexy.
oh oui
oh yeah
baby

J'arrive pas à faire ce que le livre dit pour lâcher prise.

Tu veux lâcher prise sur quoi?

Avoir un enfant. Is disent que ça marche pas parce que j'y pense trop.

Tu sais qu'il y en a d'autres qui te diraient que le meilleur gage de succès est la visualisation?

Oh! Tu penses que ça marche ça aussi? Ça fait des mois que j'essaie de ne pas y penser et là il faut que je visualise? Peux-tu me dire comment on fait pour ne pas y penser tout en visualisant?

Ce sont des conseils poches! Tout pour culpabiliser. Évidemment, si tu décides de lâcher prise et que tu y penses, c'est de ta faute.

Pis si tu décides que tu visualises positivement et que tu as un moment de découragement, c'est de ta faute.

Donc tu penses que ça marche pas.

Que tu y penses ou que tu y penses pas, faire un bébé, ça n'a pas rapport avec les pensées. C'est juste de la biologie élémentaire.

Des fois, j'aime ça ton pragmatisme.

Dysfonctionnement

J'ai un excès de salive ces temps-ci, je capote, je postillonne tout le temps, ça me gêne!

Ça arrive, ça va passer.

Ici ils disent que ça peut être causé par le stress ou un choc émotionnel... C'est totalement logique, vu que je vis un choc émotionnel de non-fertilité.

?

... ils disent aussi que ça peut être les aliments crus. Oh mon Dieu, je n'arrête pas d'en manger!!! Ils disent que ça peut entraîner un dysfonctionnement de la rate! Il faut que je mange chaud, ma rate est complètement rendue dysfonctionnelle et me fait saliver!

Pas super crédible.

Il faudrait consulter. Il y a forcément un problème avec moi!?

Coudonc, t'es sur quel site???

Euh... Santé-belle-belle.com...

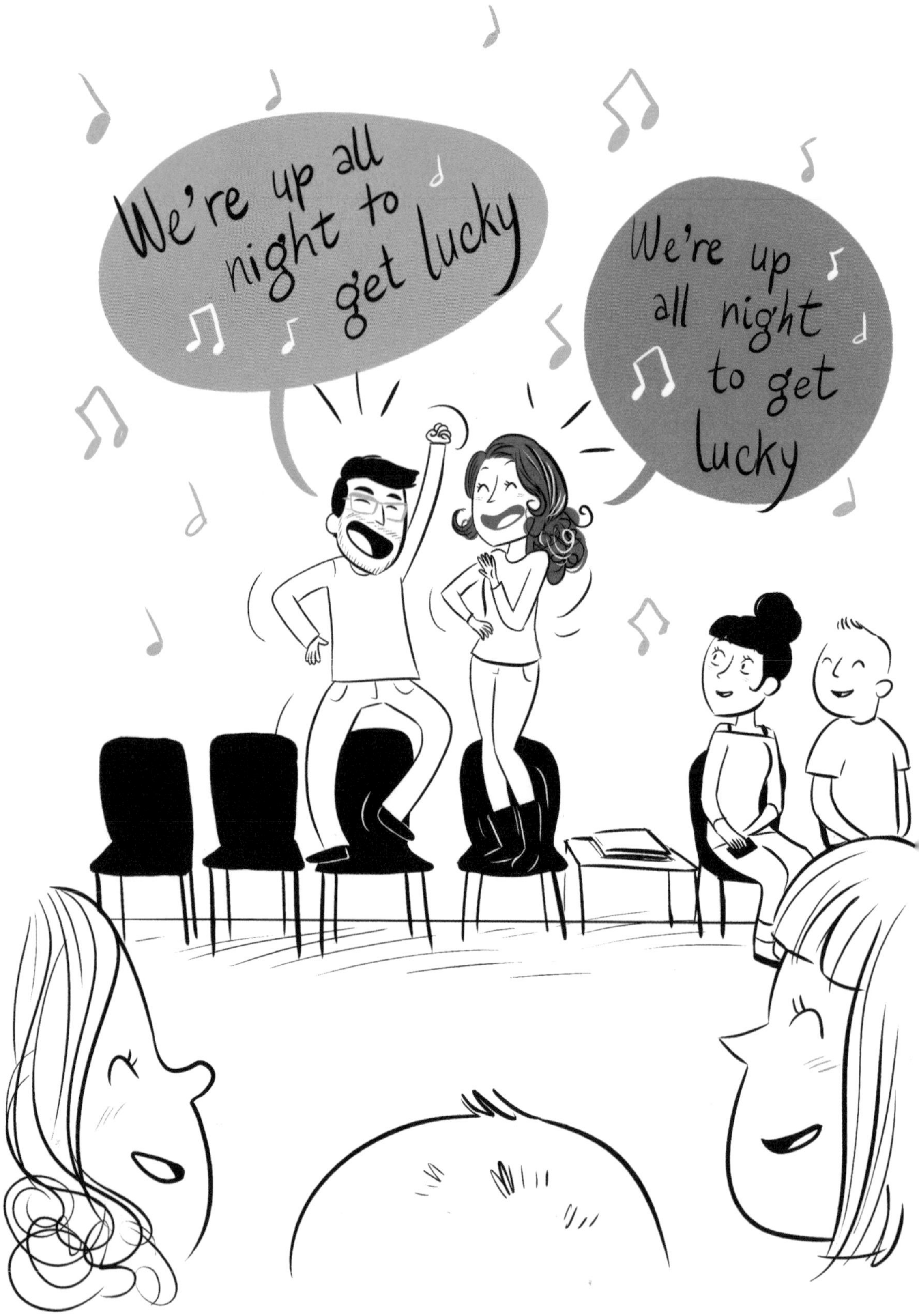
We're up all night to get lucky
We're up all night to get lucky

On doit d'abord faire quelques tests pour vérifier que tout est normal. Et ensuite, voici vos options.

Il y en a trois.

La première: Vous prenez cinq jours de médication orale du jour 3 au jour 7 de votre cycle. Ensuite, nous nous rencontrons pour une échographie interne. Puis il y a une médication d'injection pour favoriser l'ovulation. Votre conjoint fait un échantillon de sperme et on fait l'insémination.

Deuxième option. Toujours en insémination. Vous prenez cinq jours de médication par injections du jour 3 au jour 7. Ensuite, le reste est comme l'option un.

La troisième, c'est la fécondation in vitro. Ce processus est beaucoup plus coûteux. Et on doit également vous aviser qu'il est plus intense. Donc vous prenez 12 jours de médication par injections.

Ensuite, nous faisons un prélèvement d'ovule. Ça peut être douloureux, mais nous vous injectons des antidouleurs. Après, le conjoint fait son échantillon. Nous fécondons l'ovule en laboratoire et ensuite c'est comme une insémination.

Vous avez bien compris?

10/10. Et toi?

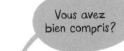

J'ai une question à vous poser. Ça me gêne un peu...

Toutes les questions sont bonnes, soyez à l'aise.

Oui mais là c'est vraiment niaiseux...

Vous voulez connaître les meilleures positions sexuelles pour procréer?

Quoi? Il y en a???

Non... justement. Mais habituellement, c'est la question que les gens posent quand ils sont gênés.

Non... en fait. Bon, admettons qu'on veut booker des vacances, disons à Disney... Et qu'on apprenait que je suis enceinte... Est-ce que faire des manèges peut être dangereux dans ce cas?

!

Il y a des femmes qui font des manèges enceintes, mais ce n'est pas vraiment conseillé... mais tant qu'à être dans ce processus, pourquoi ne pas le faire jusqu'au bout? Il ne faut pas s'empêcher de vivre, mais vous pouvez aller en vacances ailleurs...

Attendez d'aller à Disney avec vos enfants.

Aller à Disney avec des enfants? Beuh... Ça doit être épuisant... et plate, car tu ne peux pas faire les meilleurs manèges!

Non?

. . .

C'est l'appareil pour l'échographie interne.

Ouain ben...

Je ne comprends pas trop ceux qui ont des fantasmes de gang bang.

Surdose

Acide
folique
x1

Letrozode
x2

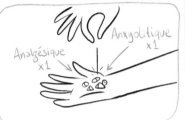

Anxyolitique
x1

Analgésique
x1

Hé, si je mélange les pilules de fertilité avec des analgésiques et un anxyolitique, est-ce que je peux mourir?

Peu probable.

Es-tu en train de rire de moi?

Non...

OUI TU RIS CARRÉMENT DE MOI!!!!!!!! Je te vois avec ton sourire en coin! Michael Jackson est mort à cause d'un mélange de médicaments!

Je m'excuse de vouloir rester en vie pour notre projet de bébé!

Les gens qui meurent de mélange de médicaments, c'est avec des grosses doses.

Je suis neutre. Je ris pas. Regarde. Neutre. Content que tu veuilles rester en vie.

Depuis que je prends ces médicaments-là, j'ai l'impression d'être toujours fatiguée.

Je pense que je vais commencer à boire de l'eau avec du citron. Paraît que ça aide pour les cernes.

Essaie-le!

Oh! juste un petit conseil: y paraît que ça marche mieux si tu dors plus longtemps avant de boire le citron.

Du plaisir

Décembre

Janvier

Février

Mars

Avril

Mai

De l'eau en bouteille?

On n'avait pas dit qu'on essayait de diminuer notre empreinte écologique?

J'ai lu que l'eau du robinet est en partie responsable des problèmes de fertilité de la vie moderne. Il y aurait des déchets toxiques dedans, comme la pilule anticonceptionnelle, qui est contenue dans l'urine de plusieurs personnes et qui n'est pas totalement nettoyée à l'usine d'épuration.

OK, c'est vraiment n'importe quoi...

Ben, en théorie, le plastique des bouteilles peut agir comme perturbateur endocrinien qui imite les œstrogènes... quoique ce n'est pas prouvé.

...

Je blaguais...

Les tomates antioxydantes

Tiens!

J'ai lu que les tomates boosteraient la fertilité masculine.

Selon une étude scientifique américaine, le principal ingrédient, le lycopène, qui est un antioxydant superpuissant, leur donne leur belle couleur rouge, mais il augmente également de 70% le nombre de spermatozoïdes.

Voyons voir...
Une étude mal citée, publiée dans un journal obscur, sans groupe placebo, avec une conclusion tirée par les cheveux et jamais reproduite.

Très crédible.

OK, alors ce que tu me dis dans le fond, c'est que moi je prends une quantité astronomique de médicaments qui me donnent des effets secondaires horribles, je passe des tests intrusifs où je me fais rentrer des spéculums, et autres patentes douteuses...

... alors que c'est scientifiquement prouvé que ça augmente nos chances de concevoir de seulement 5 à 10%.

Et toi, tout ce que tu as à faire, c'est de manger des tomates et tu ne le feras pas parce que l'étude n'est pas assez à point pour toi????

...

Bonjour!

Je cherche des produits qui aident à la fertilité.

Bien sûr!

Il y a ici des pierres qui peuvent aider.

Il y a ici un savon.

17.50$

Je conseille souvent aux couples d'être ludiques et d'acheter des aliments avec le mot «bébé» dedans, comme des bébés carottes, des bébés épinards...

Ah bon?

Mais vous savez... Tout ce que ça prend pour avoir un enfant, c'est le lâcher-prise.

Ben, le lâcher-prise...

Il y en a qui lâchent prise et ça fonctionne, d'autres qui n'ont jamais d'enfant. Et il y en a qui ne lâchent pas prise et qui ont des enfants et d'autres non. Ce n'est pas un absolu. C'est différent pour chacun.

Hum... Je vais prendre les pierres.

57

Mais as-tu essayé la méthode du calendrier? Dans le fond, faut juste que tu attendes la période d'ovulation et c'est facile à voir, car il y a comme une matière blanche dans tes bobettes.

Oui, c'est sûr qu'on a essayé ça avant de consulter en fertilité...

En fertilité? Ah oui? Dommage, tu ne seras pas un père biologique...

Mais oui, c'est mon sperme.

Oui, mais un vrai père biologique, c'est quelqu'un qui n'a pas besoin «d'aide extérieure».

Ah oui? Vous êtes en fertilité? Nous, nous n'aurions jamais fait ça. Nous ne voulions pas médicaliser notre désir d'enfants...

La science n'a rien à voir avec la conception. Devenir parent n'est pas un droit! C'est un privilège et censé être un phénomène naturel! Comment vous allez leur raconter leur conception plus tard à ces enfants-là?

Qu'ils n'ont pas été faits normalement, mais plutôt par acharnement thérapeutique? C'est insensé!

Qu'est-ce que tu fais?

Ben, si c'est si mal d'utiliser la science pour nous aider en fertilité...

... aussi bien s'en passer pour tout le reste!

On ne se rendra jamais là

Pis, vous? C'est pour quand les enfants?

On travaille là-dessus.

HA HA!

Vous travaillez pas assez fort!

On essaie, mais sans se mettre de pression. On se dit que si ça fonctionne ça fonctionne et que si ça ne fonctionne pas, on est prêts à faire ce deuil.

Je m'étais promis que je ne me rendrais jamais là. Mais c'étaient des mensonges.

Je suis rendue là.

Je ne serai jamais capable de faire ce deuil-là. C'est pas vrai que je ne me mets pas de pression! C'est pas vrai que je vis ça avec détachement!

C'est un mensonge!

Pis ça ne me dérangerait même plus qu'il soit scorpion!!!

59

Authenticité

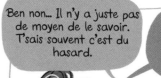

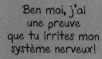

Je voulais te dire... Est-ce que je t'attire quand même, même si je me laisse pousser le poil?

Oui, tu m'attires quand même, c'est sûr.

En fait, j'ai pensé à ça et c'est un geste féministe.

C'est la lutte des femmes de disposer du droit de leur corps.

Tu sais qu'à une certaine époque, l'épilation était un signe de soumission? Voire d'esclavage?

D'autant plus qu'on désérotise le corps des femmes, commesi le corps d'une femme dépourvu de poils était plus beau. C'est complètement misogyne!

C'est devenu la mode, donc une pression sociale! Il faut faire évoluer les mentalités!

C'est vrai que tu as le droit de faire ce que tu veux, ça ne change rien pour moi.

En fait, j'ai peur que si je m'épile, le médecin qui fait l'insémination pense que j'ai fait un petit spécial pour lui.

Je profite du fait qu'ils sont en spécial...

Ce n'est pas parce que je veux être présomptueuse et que je pense que ça va marcher que j'achète des tests avant d'avoir un soupçon de grossesse... C'est juste pour prévoir, pour l'espoir mais aussi pour une forme de lâcher-prise, car si j'en ai plusieurs, ça veut dire que je ne m'attends pas à ce que ça fonctionne du premier coup.

Mais si ça marche et qu'il m'en reste plein, on va dire «hahaha, je n'aurais pas dû acheter tout ça, mais ils étaient en solde» et ça va faire une bonne anecdote!

Effet placebo

...

Depuis que je prends de l'acide folique, on dirait que j'ai engraissé.

Ça ne fait pas engraisser l'acide folique.

Mais je te jure que j'ai engraissé!

Ce n'est pas à cause de l'acide folique.

Penses-tu que vu que ça fait environ 2 ans que je prends ça tous les jours, et que c'est clairement dans un but de processus de fertilité, mon cerveau enregistre que c'est pour ça et donc, mon ventre grossit par effet placebo?

Écoute...
Tout se peut.

On essaie d'avoir un enfant, mais jusqu'à maintenant ça n'a pas fonctionné. Vous savez le processus de fertilité, c'est vraiment stressant. On vit toutes sortes de montagnes russes, on essaie de ne pas trop avoir d'attentes, on essaie de rester forts en couple même si parfois c'est difficile, car ça joue dans des insécurités profondes. On comprend qu'on ne contrôle rien. On a peur de devoir faire notre deuil d'une famille. On vit beaucoup de déceptions qu'on essaie de balayer sous le tapis pour continuer à vivre et être heureux, pour ne pas vivre trop dans l'attente. Je pense qu'en ce moment, on a juste un trop-plein d'émotions.

Et si...?

Remerciements d'India:

Merci à Olivier, qui, en plus d'être un super amoureux plein d'empathie, m'a donné la liberté de puiser dans notre intimité pour créer ce projet qui me tenait à cœur.

Merci à Simon-Olivier Fecteau, de m'avoir aidée à peaufiner quelques gags.

Merci à Pascale Mongeon, pour ta petite touche supplémentaire.

Merci à Judith Landry, Guylaine Girard, Frédérique Grenouillat et à toute l'équipe des Éditions de l'Homme, de nous avoir donné carte blanche.

Merci à Sylvie Savard, pour tout ce que tu fais pour mes projets.

Merci à ma famille d'être mes premiers lecteurs.

Merci à toutes les personnes qui, à l'annonce du projet, m'ont écrit des confidences sur leur processus, en espérant que cette BD leur permettra de se sentir moins isolées.

Merci à Estelle, pour cette espèce de magie qui rend nos cerveaux complémentaires et complices. J'aimerais avoir ton talent pour dessiner mes pensées.

Remerciements de Bach:

Je tiens à remercier toutes les personnes près de moi qui m'ont soutenue pendant la création de cette bande dessinée. Avec mon nouveau rôle de maman, j'ai dû ajuster mon horaire, et si je n'avais pas été si bien entourée, je n'y serais pas arrivée. Je pense tout particulièrement à mon amoureux, toujours si patient et compréhensif. Merci d'être dans ma vie.

J'aimerais remercier Aube, qui est venue m'aider dans les premiers mois de vie de Léonard. Vraiment, sans toi, tout cela aurait été impossible.

Je veux également remercier mes lectrices et lecteurs qui sont toujours là pour m'encourager. Si vous n'étiez pas là, je ne serais pas aussi motivée. Merci de tout cœur!

Merci à toute l'équipe des Éditions de l'Homme! C'est vraiment génial
de travailler avec vous.

Merci à India, de m'avoir fait confiance dans ce projet, lequel te tenait tellement à cœur. Je crois qu'on fait une super équipe et je suis très fière de travailler avec toi.

À propos des auteures

Passionnée d'écriture, **India Desjardins** aime varier les histoires, les styles et l'âge de ses personnages au gré de son inspiration. Elle a connu le succès en littérature jeunesse avec les huit tomes du *Journal d'Aurélie Laflamme*, en bande dessinée avec les deux tomes de *La Célibataire*, *Le Noël de Marguerite* (récompensé par le prestigieux prix Ragazzi) et *Une histoire de cancer qui finit bien*, et enfin, sur le plan romanesque, avec *Un homme s'il vous plaît* et *La mort d'une princesse*. Depuis quelques années, elle est également scénariste, tant pour le cinéma que pour la télévision.

🐦 @Indiadesjardins 🅵 facebook.com/india.desjardins

Bach, de son vrai nom Estelle Bachelard, a travaillé dans l'industrie du jeu vidéo avant de devenir illustratrice et auteure de bande dessinée. Armée d'humour, d'un grand sens de l'observation et d'une bonne dose d'autodérision, elle diffuse régulièrement sur les réseaux sociaux des œuvres inspirées de son quotidien. À titre d'auteure, elle a publié la série *C'est pas facile d'être une fille*. En tant qu'illustratrice, elle a collaboré à de nombreuses publications dont *La fée Pissenlit*, la série *Drôles de familles* et *Supergroin*. Elle adore les chats et les frites, mais ce qu'elle aime par-dessus tout, c'est de faire rire les gens.

🐦 @EBachelard 🅵 facebook.com/bachillustrations

© Andréanne Gauthier

Suivez-nous sur le Web

Consultez nos sites Internet et inscrivez-vous à l'infolettre pour rester informé en tout temps de nos publications et de nos concours en ligne. Et croisez aussi vos auteurs préférés et notre équipe sur nos blogues !

EDITIONS-HOMME.COM
EDITIONS-JOUR.COM
EDITIONS-PETITHOMME.COM
EDITIONS-LAGRIFFE.COM
RECTOVERSO-EDITEUR.COM
QUEBEC-LIVRES.COM
EDITIONS-LASEMAINE.COM

Cet ouvrage a été achevé d'imprimer sur les presses
d'Imprimerie Transcontinental, Beauceville, Canada